Hilo de hada

Para mi ddi.

Para todas mis amigas un poco magas,

que me han animado e inspirado;

gracias a BRiGITTE.B , CAROLE.H , LOLA.G , LISA.R , NATHALIE.D , CHRISTINE.D.

Para mi mamaíta con dedos de hada.

Para mi   ANOUK, mi pequeña luciérnaga, siempre un poco campanilla.

Para mi   Mathis, mago de las palabras

Mi agradecimiento grande a Maryvonne Denizet, que me ha ayudado

con su mirada aguda y exigente.

Para Brigitte Leblanc que ha sabido confiar en mí.

Aurélia *

Para mi mujer , mis hijas , mis hadas.

Philippe

Philippe Lechermeier

Aurélia Fronty

Hilo de hada

EDELVIVES

Querido tú, queridos vosotros,
mis muy queridos todos:

La gente piensa con frecuencia que la magia

no se aprende más que en libros polvorientos,

en apolillados tratados de encantamientos

perdidos en el fondo de viejos armarios.

Y eso no es así.

El mundo es mucho más astuto.

La magia, la brujería,

es un poco como la poesía:

aparece por aquí, por allá, está junto a ti.

pero no la ves.

Hay que buscar, rebuscar y observar.

Es como una estrella en el cielo nocturno,

como una gota de agua en la lluvia.

Está aquí y está allá, junto a ti.

Un pedacito de bramante,

no, algo más imperceptible, casi invisible,

el final de un hilo,

el hilo de un hada

del que penden todos sus secretos.

Sujétalo, no lo sueltes.

Anda por aquí en algún lado.

Ahí, junto a ti,

engánchate a él…

El hada

Sigue el hilo...

Fabricar sueños

Fue **Filomena Hilalana** quien inventó
la primera máquina de sueños.
Para fabricarla, utilizó una caja
en la que metió todo lo que encontró,
y removió,

removió,

y removió

hasta que se cansó mucho,

mucho,

mucho,

muchísimo.

Después, se fue a la cama.
Y se quedó acostada desde la medianoche hasta el mediodía.
Soñó toda la noche, sueños tristes y grises.
Al día siguiente, añadió colores a su máquina:
rojo, amarillo y verde.
Y, para que el resultado fuese más suave, metió plumas
y un poco de tela (sólo un pedacito).
Y volvió a acostarse para hacer la prueba.

Éstas son sus notas:

Para tener sueños frescos en verano:
añadir unos pedacitos de hielo picado.

Para sueños de amor:
introducir la palabra «siempre».

Para sueños de riqueza:
meter una moneda.

Para sueños de viajes:
espolvorear con un poco de arena.

Para sueños inteligentes:
unas buenas notas pueden ser eficientes.

Para sueños de chica salvaje:
una flecha india.

Para sueños que dan miedo:
tender una tela de araña en el suelo.

Para un sueño perfumado:
una orquídea o un ramo de flores
silvestres.

Y para un sueño de libertad:
volcar la máquina y volver a empezar...

En un prado un domingo soleado...

Vestida con un traje floreado,
Irina Butterfly pasea cada día
por el prado.

Tremendamente coqueta,
viste siempre ropajes muy hermosos,
y nunca olvida ponerse colorete.

Revolotea entre las azucenas,
zigzaguea entre las azaleas, acaricia la hierbabuena
y se lía los pies en las enredaderas.

Rojo ácido, azul menta o verde tierno
son palabras que les susurra a las flores,
y que les brindan sus mágicos colores.

Muchos pintores,
los mejores y los peores,
quisieron atraparla.
Y también los jardineros.
Y algunos tintoreros.
Pero hasta ahora,
ella siempre se ha escabullido de la red
por los huecos de los hilos.

Recuperar los ojos de la infancia
(o no perderlos si todavía se está a tiempo)

La magia no funciona sin ojos de niño.
A menudo, los mayores
los han perdido tiempo atrás.
Como canicas extraviadas debajo de la cama.
Como un tigre que se esconde entre las ramas.
Como un fuego que se apaga llama a llama.

Y sin embargo, sin los ojos de la infancia,
adiós a la alquimia, adiós a la magia.

Hay muchas formas de recuperarlos:

Pasear bajo la lluvia sin paraguas.

Saltar en los charcos
(se pasan buenos ratos).

Contar los coches de color rojo
que van por la carretera,
incluso si el viaje es muy largo
y los padres se quejan.

Cantar cualquier cosa, aunque se desafine,
y aunque alguien pida silencio, ¡por piedad!

Negarse a utilizar ropa que pique.

Y, por supuesto, **hacer** preguntas
que no tienen respuesta.

¿Por qué es azul el cielo?

¿Por qué el caballo tiene cuatro patas y no seis?,
¿o dos?, ¿o cuarenta y seis?, ¿o cien como los ciempiés?

Y el ciempiés, ¿por qué no tiene diez?

Y los papás, ¿por qué llevan corbata
y no preciosos vestidos con volantes?

¿Y acaso sabes tú dónde está Tombuctú?

Y los gigantes, ¿por qué son tan grandes?

¿Y por qué mamá o papá me tienen que regañar?

¿Y por qué soy más bajo que Julia?

Y la abuela, ¿por qué tiene bigote?

¿Y patatín?
¿Y patatán?
¿Y aquello?
¿Y lo de más allá?

Si aún no lo has conseguido, pasa a la página siguiente.

El papel mágico

Busca un papel arrugado de celofán,
en el fondo del bolsillo o en otro lugar.

(Utiliza preferentemente un papel azul, verde o rosa.
El magenta te vuelve tonto y el marrón, gruñón).

Y después:

1· **Alisa** con cuidado el papel.

2· **Cierra** el ojo izquierdo.

3· **Pon** el papel sobre el ojo derecho.

4· **Mira**…

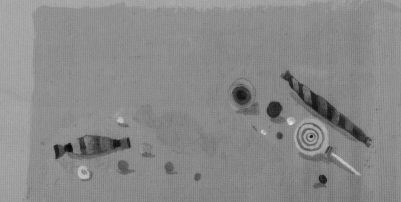

Pescar la luna

Juan es uno de los últimos pescadores de luna que quedan.

Una vez al mes, prepara su caña, estudia los astros
y se va a las landas sin dejar el menor rastro;
es tan discreto como un secreto.
Aguarda hasta que el cielo está bien despejado,
y en cuanto ve su brillo en la marisma reflejado,
engancha el anzuelo al final de su caña y se instala
para pescar su extraño pez.

Es un trabajo muy duro, y hace falta ser paciente.
¡Juan lleva muchos años esperando: veinte!

—¿Ha picado? —le preguntan entre risas los habitantes del lugar.

—Aún no —responde Juan—. ¡Pero el otro día pesqué una rosquilla!

¡Con un buen chocolate, doy fe, sabe de maravilla!

A saber:

Quienes siempre andan
pidiendo la luna,
que vayan practicando
a subirse a una escalera.

Para quienes siempre
están en la luna
no existe remedio conocido.

21

Leer el futuro

Fuji Yama, una hechicera japonesa,
en secreto me ha revelado cómo leer el futuro en una pradera:

—Noble extranjero, cuando oigas cantar a las cigarras,
es que el verano acaba de empezar.
—me dijo.

Luego añadió con los ojos entornados:
—Si percibes el perfume de una flor,
tendrás un día lleno de amor.

Y por fin terminó:
—Noble extranjero, si en el lóbulo te pica una abeja,
te dolerá un buen rato la oreja.

                              Y se marchó del lugar.

Por otro lado, **Edma Etna** asegura
que al mirar a los ojos de la gente puede adivinar
si alguien está enamorado *(los ojos brillan)*,
si es desgraciado *(los ojos lloran)*,
si está cansado *(tiene ojeras)*
e incluso si se ha desmayado *(los ojos están cerrados)*.

Inventar una nueva lengua

Fue **Jacobina Chinchín**
la que hablando sin sentido
acabó inventando el chino.

Lulú Ohlalá,
mientras comía un canapé,
creó el idioma francés.

Y el danés, **Olaf Larguensen,**
un día que se fue de viaje.

Arnold Glugluston, el inglés,
cuando masticaba un chicle al revés.

Pipio Pipiano
prefirió cantar a hablar
y se inventó el italiano
mientras tocaba el piano.

¿Y el inventor
del holandés?
Me pregunto quién fue...

Aunque es posible inventar una lengua en solitario, resulta más divertido si se hace entre varios.

Para empezar, **hay que decir cualquier cosa,** buscando sólo un sonido gracioso y divertido.

Luego **hay que aplicar cada palabra inventada** a las personas, los objetos y las cosas que hay alrededor.

Y para no olvidarlas, **hay que apuntarlas** por orden alfabético, es más práctico.

La mayoría de las lenguas que se hablan en la actualidad se inventaron de esta forma.

María Ramilla

—¡Eh, mira lo que hago!

Hacía tiempo que me hablaba de ello.

¡Y yo que creía que estaba bromeando!

Pero no; me llevó a dar un paseo largo

y se detuvo después de un rato.

Miró a la derecha, miró a la izquierda,

aspiró el aroma del bosque

y escuchó el sonido de mis pasos por el sendero.

—Al borde del camino será el mejor destino.

Así, si me aburro o si tengo miedo por la noche...

—dijo susurrando.

Al principio no me di ni cuenta.

Luego, vi que sus pies se hundían en la hierba.

Poquito a poco, suavemente, se fueron alargando.

Y lo mismo sus dedos tan finos y delicados.

Ella se maravillaba y se reía

al ver cómo los primeros brotes

y las primeras hojas verdes y suaves crecían.

Sus cabellos en ramas se convertían

y en ellas los pájaros fabricaban sus nidos.

No sé cuánto tiempo pasó, pero no fue demasiado;

en el borde del camino se había instalado.

Había enraizado, y el cierzo que soplaba

la mecía de lado a lado.

Con un crujido se inclinó hacia mí,

riendo a carcajadas:

—¡Oye, no te quedes ahí!

Después, añadió, al ver que me había asustado:

—Ven a verme de vez en cuando.

Y, este verano, podrás recoger mis frutos,

¡si a cambio me haces algún recado!

Repartir pesadillas

Zoa Zaguán es pequeña y a menudo la molestan los mayores.

Así que espera a que sea de noche para vengarse

de los que se burlan de ella en la escuela,

le dan patadas y le quitan su merienda.

Guarda en el fondo de su bolsillo pesadillas para repartir.

Parecen canicas oscuras y descascarilladas.

Basta con deslizarlas bajo la almohada

del que la molestó para que tenga pesadillas y no pueda dormir.

Las tiene de todo tipo:

la pesadilla de la cabeza cortada,

la de las arenas movedizas,

la de tirarse a una piscina sin agua.

¿Su preferida?

¡La del chico que va al colegio completamente desnudo!

Pero no creas que **Zoa Zaguán** es siempre tan cruel.

A su mejor amiga, **Isabel Cascabel**,

le ha dejado en la almohada una preciosidad:

soñar que sobrevuela de noche la ciudad.

Entre perro y lobo

A **Agri Dulce** nadie la puede encontrar
a cualquier hora o en cualquier lugar.

Vive en el lindero del bosque, junto al prado.
Sale de su guarida en cuanto el sol declina
y la noche aún no ha llegado,
cuando todos los gatos son pardos.

      Justo es en ese momento la hora del encantamiento.

Se la reconoce sin dificultad.
Entre un perro y un lobo, su única compañía,
pasea en armonía.

¿Es buena, es hermosa?
¿Es malvada, es horrorosa?
Es difícil decirlo, porque con ella las cosas
no son o blancas o negras.

      No son así ni son así.
Viene y va.
      No está ni aquí ni está allá,
ni antes ni después.
      Sino ya.
Y eso nunca dura demasiado.

Primeros secretos
para coleccionar

El perfume es el recuerdo
de una flor de otro tiempo.

Las gotas de rocío son utilizadas
para que se hagan collares las hadas.

La tierra es una pelota que un gigante lanzó,
subió al cielo y nunca bajó.

La nieve es polvo de estrellas;
la lluvia, lágrimas de luna.

Los pájaros son niños
que no han llegado a olvidar
cómo se puede volar.

Los desiertos se componen
de los relojes de arena
que por descuido se rompen.

Mentir es decir la verdad
desde el otro lado de la realidad.

Las arañas son las pesadillas
que aún están en nuestra mesilla.

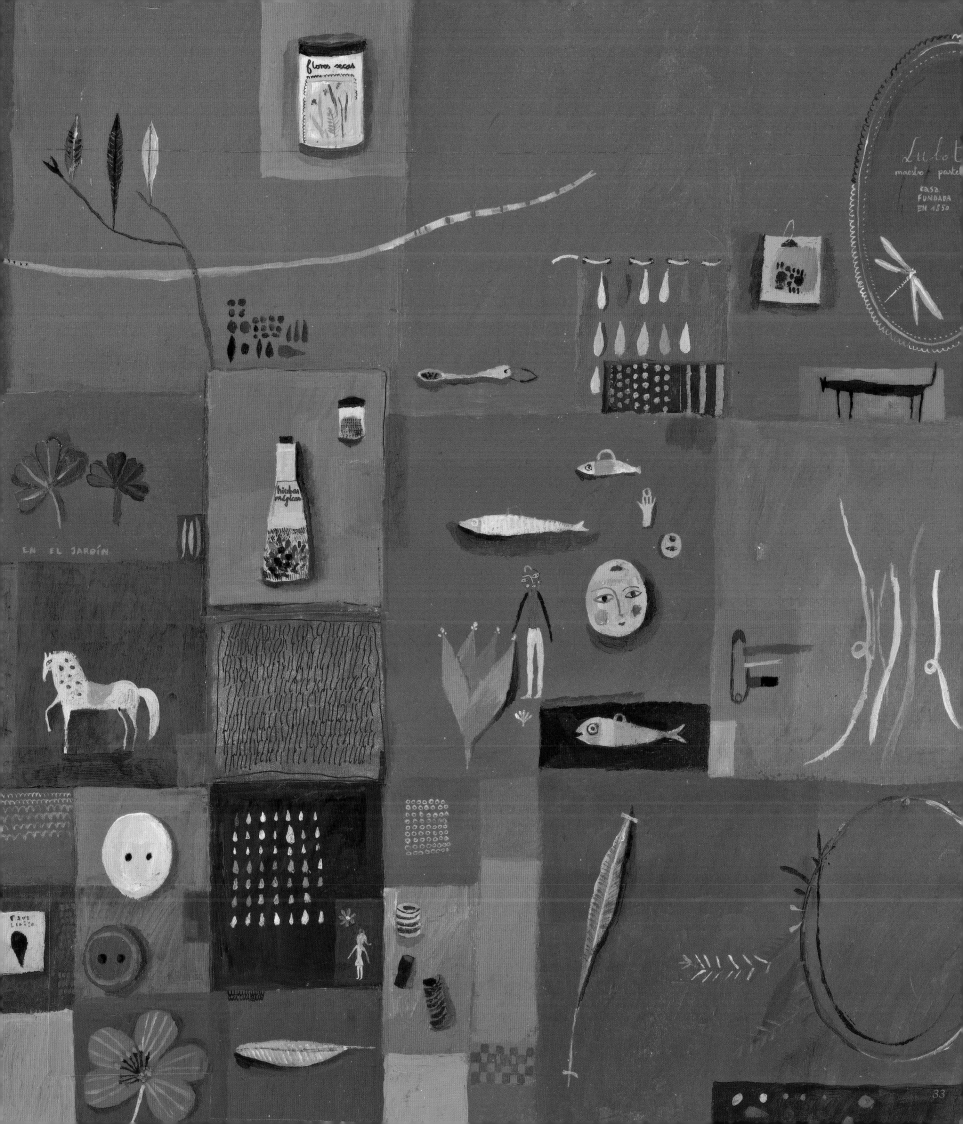

Antes, en épocas pasadas,
había respuesta para todas las cuestiones,
se conocían todas las soluciones.
No había secretos, ni cosas ocultas
ni sombras disimuladas.
Todo era simple, no había preguntas.
Pero luego llegó Míster Misterio.
¿Quién es?
¿De dónde viene?
¿Qué aspecto tiene?
Misterio...

Lo único que se sabe es que cuando nació
sus padres lo abandonaron y nunca los ha encontrado.
Que a todo el mundo por ellos ha preguntado
y hasta una vez alguien le respondió:
—No hay nada que ver, circule. ¡Es un secreto sagrado!

Misterio

Así que, para vengarse,

decidió ocultar las soluciones,

las respuestas a muchas cuestiones.

¿De dónde venimos?

¿Quiénes somos?

¿Adónde vamos?

Misterio...

El mundo entero querría saber dónde se escondió,

los espías tratan de recuperar los secretos que robó,

pero él pasó a la clandestinidad, se ocultó.

¿Dónde? ¿En qué cueva?

¿En el fondo de qué madriguera?

¿Un caserón?

¿Un negro rincón?

¿En el reflejo de un espejo?

Misterio...

Inventar cantos
que encantan

Es un canto que penetra en la piel, desde abajo, desde arriba;

es una cantinela que encandila.

Quien lo ha oído se queda mustio o corre sin sentido.

Hace un pequeño vuelo o cae al suelo.

Se vuelve loco.

Que no es poco.

Lucía Papiola queda los sábados para ensayar
con su amiga Amira Badabadabá.

Como cantan a la perfección, nadie escapa al poder de su canción.

A veces, Lucía Papiola y Amira Badabadabá
cantan por las noches para los enamorados que pasan.
O para los que se casan.
Para ahuyentar a un enemigo o para sembrar cizaña
utilizan una artimaña:
desafinan adrede o la cantan al revés.

VOLVERSE HORMIGA

Ser una hormiga
durante unos minutos en la vida

Una experiencia emocionante, aunque desaconsejable para quien esté cansado.

Ser hormiga, aunque sólo sea unos minutos, requiere estar en forma.

Es, sobre todo, para hadas y magas que hacen deporte.

De día y de noche hay que

cargar,

mover,

empujar,

recoger,

construir,

reparar,

además de otras tareas.

Y eso, sin tener en cuenta el riesgo de ser

pisada,

aplastada,

devorada,

despedazada,

triturada,

digerida.

He aquí por qué

si alguien en hormiga se va a transformar,

no debe olvidarse de precisar

que es «sólo por unos minutos».

Si no especifica ese punto,

terminará los días de su vida

en el cuerpo de una hormiga.

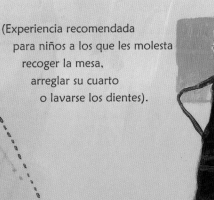

(Experiencia recomendada
para niños a los que les molesta
recoger la mesa,
arreglar su cuarto
o lavarse los dientes).

La familia Cebollino

¿Buscas las llaves?

¿Has perdido un calcetín?

¿El reloj ya no está donde lo dejaste

antes de acostarte?

Pues deja de preocuparte; si has perdido la cabeza,

no acuses a tu hermano, al gato

o al mundo entero,

dirígete a otro destino: la familia Cebollino.

Eduardo, Edna, Edilberto,
        Edmundo, Edith, Elvira
                y Evelina Cebollino

rebuscan en las habitaciones de los cinco continentes

a la caza de objetos: los mueven,

        los ocultan

                y los roban.

¿Has dejado tus zapatos tirados en algún lugar?

¿Acaso tu compás se ha esfumado sin más

y tu osito preferido ha desaparecido?

¡Otro golpe de los Cebollino!

A la una, a las dos, a las tres, descerrajan tu cerradura,

se apoderan del objeto que olvidaste por completo,

y, en una simple pirueta... izas!,

escapan por la puerta de atrás.

P. D. Si desapareciera un objeto verdaderamente importante,
escríbeles una carta y déjala en tu mesilla de noche.

Modelo de carta:

Estimados Eduardo, Edna, Edilberto,
Edmundo, Edith, Elvira o Evelina Cebollino:
[*Tacha los nombres que sobren*].

Habéis robado / escondido / movido
[*Tacha las palabras incorrectas*].

el día .... [*fecha*]

[] mi peluche

[] mi calcetín

[] mi zapato derecho / izquierdo

[] mi pantalón

[] mi cuaderno de notas

[] mi llavero

[] el libro que casi me había acabado,
     menos el final

[] mi guante derecho / izquierdo

[] mi pez rojo

[] mi abuelo / mi abuela

[] mi tía

[] mi tío

[] otros

[*Marca con una cruz la casilla correspondiente*].

que se encontraba en .... [*lugar*]

Agradecería que me lo devolvierais a cambio de esta bolsa
de caramelos que he comprado para vosotros.

Muchas gracias.

Nombre:

Apellido:

Apodo:

Firma:

Transformar una pompa de jabón en un globo dirigido

Una pompa de jabón es fina y delicada, te estalla entre los dedos.
Una pompa de jabón nace de un soplido y se esfuma después,
como si nunca hubiese existido.
Entre esos dos momentos, sólo dispones de un instante para echar a volar.

Transformar una pompa de jabón en un globo dirigido
no es tan complicado: una vez que ya se ha hinchado,
unos cuantos pestañeos y listos para ir al cielo.

Basta con dejarse llevar,
uno, dos, tres y ¡a volar!

Hay que tener cuidado con todo objeto afilado,
¡fuera cuchillos, fuera tijeras!

Y, cuando estés volando, mira las casas y los ríos,
atraviesa las nubes, contempla el plantío;
a veces parecen cuadros
de Matisse o de Picasso.

Y aún más divertido:
infla la burbuja a tu alrededor
y rebota con cualquier rumbo
hacia las cuatro esquinas del mundo.

No me vas a creer,
pero Evgueni Karakakovski rebotó hasta la Luna.
Ahora gira alrededor de la Tierra,
como un satélite en la estratosfera.
No olvides saludarlo cuando lo veas pasar.
El pobre se aburre un poco,
tan solo dentro del globo.

Cecilia Comilla

Cecilia Comilla es minúscula.
Su figura se entrelaza en la lectura
y tiene ojos como de tinta china.
China con «c».

Se arrastra por el papel haciendo ruido con los pies.
¡Coma!

Diré, como aclaración, que parece un punto de interrogación.
¡Ojo con la puntuación!

Tacha, emborrona, corrige, hace muchos cambalaches,
se desliza entre las hojas.
Con «h».

Hace temblar los bolígrafos, añade una «r» aquí,
cambia una «v» allá.
Acento en la «a».

Adiós a la concordancia, el masculino se confunde con el femenino,
el singular con el plural y el presente con el pasado.
Yo me voy, tu te fuiste, él se ha marchado.

Las faltas se amontonan, ¡cuida la ortografía!
¡Cecilia trabaja noche y día!

La acentuación de palabras es una regla curiosa.
¡Es complicada la cosa!

Las frases se confunden, se mezclan, del papel se vuelan,
se han vuelto locas.
¡No me gusta la escuela!

¡Cecilia Comilla pasó por aquí!
Tilde en la i.

Eco Lalia

La vida de Eco no es nada tranquila.

Corre por aquí,

    corre por allá,

tan pronto está así,

    tan pronto asá.

Jamás se detiene, siempre va montada en su veloz corcel.

En lo profundo de un bosque, bajo la bóveda de un puente

o la depresión de un valle,

sale galopando en cuanto oye una voz,

pues cree que es a ella a quien están llamando:

—¡Eeeecooo! —contesta al que pronuncia su nombre.

—¡Cataplof! —al que se asoma al pozo.

—¡Te quierooo! —responde al grito nocturno del enamorado mozo.

Y si le peguntan por qué nunca para,

por qué siempre corre de aquí

    para allá,

tan pronto está así,

    y tan pronto asá,

ella repite todo lo que oye y luego declara:

—¿Por qué no? Todo el mundo viene, me cuenta secretos...

¿Y cómo hace ella para no olvidarlos?

—Simplemente los repito una y otra vez para recordarlos.

¿Ha olvidado ella un secreto o más?

—¿Olvidar un secreto?

Jamás, jamás, jamás, jamás, jamás, jamás, jamás...

Grisgrís, haz magia en un tris

Grisgrís
Da suerte.

Negronegro
Trae la muerte.

Caramelos
Para consolarse cuando el grisgrís
no sirve para animarse.

Frutas prohibidas
Para hacer los caramelos.

Diente de león
Rallarlo y espolvorearlo a escondidas
en la cama de vuestro mayor enemigo (o enemiga).
Él (o ella) se hará pis encima.

Amapola negra
Muy rara, no crece más que en las inmediaciones de los cementerios.
Para deshaceros de las personas que detestáis,
basta con que un ramillete les ofrezcáis.
No volveréis a verlas jamás.
Jamás, jamás, jamás...

También para quienes no os caen bien
(*por si no encontráis amapolas negras*
o si os dan miedo los cementerios).
Hay que fabricar **un muñeco**
que se parezca al sujeto,
vestirlo con ropa horrorosa,
colocarlo en posturas dolorosas
y raparle el pelo.

TALISMÁN
PARA PROTEGER
EL CORAZÓN

familia de grisgrís se mete
en una caja de cerillas
y se guarda en la mochila;
muy eficaz para cuando
se tiene miedo o se está
inquieto.

FAMILIA
GRIS
GRÍS

...se puede construir una pequeña
casa para la familia de grisgrís

CARAMELOS para CONSOLARSE

collar de hechicero

CORAZÓN MÁGICO

LA AMAPOLA

49

Los hermanos Alocados

Se los ve de vez en cuando por el barrio. Andan por aquí, andan por allá.
Corren por todas partes, se suben a los árboles, hacen el loco, tiran piedras y se revuelcan por la tierra.

Los padres dicen que son unos granujas, unos pillos, unos bribones, esos chiquillos.
Llevan la ropa un poco sucia o demasiado corta, algunas veces hasta las dos cosas.

Cuando aparecen, los chicos esconden sus canicas y las chicas gritan.
Como no caen bien a nadie, se vengan tirando de las trenzas a quien ven
por el camino y dando patadas a todos antes de llegar a su destino.

No son muy altos, su pelo es negro como las plumas de un cuervo,
sus ojos parecen de azabache y lanzan destellos en la noche.
Y, aunque no son realmente guapos, y dan un poco de miedo,
los chicos envidian su libertad y las chicas los aman en secreto.

Se desplazan en bandadas, como empujados por el viento.
A veces son diez, a veces ciento, siempre hermanos
o primos hermanos; invaden la ciudad a media tarde
y desaparecen al llegar la noche, cuando ya no hay nadie.

Se marchan gritando y danzando,
como un fuego que se abatiese sobre el heno.

Y los chicos y las chicas
que se han metido en casa
cuando les han visto llegar,
apoyan la frente en las ventanas
y, con envida, los ven marchar.
Y luego se olvidan de ellos,
sin saber que en bosques y pantanos,
montañas y senderos,
sus ojos nunca dejan
de brillar...

Hablar de todo
en la lengua que sea

Kiki Kakarea no es especialmente guapa.
Su única particularidad es una melena roja
que brilla cada vez que del pañuelo se despoja.

Pero las noches en las que la luna es rosa,
acostumbra a reunirse con amigos extraños:
un búho, un gato e incluso un oso pardo.
Y, según la estación, un jabalí, un colibrí, un leopardo.

Desde que era muy pequeña, **Kiki Kakarea** sabe hablar las lenguas
de los animales, incluso las más raras, incluso las más difíciles.
Ladra el perro con fluidez, tanto el danés como el pequinés,
maúlla el gato sin dificultad, ya sea el de pueblo o el de gran ciudad.
Su elefante es elegante y su panda es distinguido.
El caballo y el lirón los habla a la perfección.

Ladra,
    ulula,
        aúlla
           y gesticula.
Ronronea,
      cloquea
        y cacarea.
Mas cuando el lobo intenta subirse a su litera
o el cerdo ensucia y pedorrea,
      ella refunfuña,
        vocifera.

Por la mañana, cuando sus padres la despiertan para ir al cole,
se levanta de mal humor y comienza a bufar,
lo que asusta a su mamá.
Afortunadamente, vuelve en sí rápidamente
y vuelve a hablar la lengua de su gente.

Volverse invisible

Cuanto más pequeño se es, más fácil es volverse invisible.
La forma más segura de conseguirlo
es esperar un día
en que los padres tengan muchos invitados.

Cuando hayan llegado todos los amigos
y estén comiendo, charlando y criticando,
ha llegado el momento, aprovecha la ocasión.

Cuenta hasta diez,
mas si no puedes,
basta con contar hasta tres.
Y, por magia, en un soplido,
habrás desaparecido.

Primero haz unas pruebas, pregunta estupideces,
llama «cerdo» a alguno, paséate desnudo.
¿No hay reacción?
Se acabó la función: te has vuelto invisible.

Pero no te confíes, por si acaso:
el efecto no dura mucho rato.

El joven Beltrán Catamarán vivió la amarga experiencia.
La magia se acabó justo en el instante
en que le hacía un feo gesto al tío Ernesto.
Éste se enfadó bastante.
Algo parecido le ocurrió a Emilia
cuando bailaba desnuda con su primo Horacio
encima de la mesa en la que cenaba la familia.

Ele de Libélula

Ele de Libélula siempre ha soñado con volar,

pero nunca ha sentido sus alas despegar.

Así que en el colegio o tumbada en su cama, si *Ele* se aburre,

mira el cielo y se deja llevar.

Poco a poco, los ojos se le cierran,

y amables golondrinas se la llevan

si *Ele* está nerviosa y atareada.

Pero cuando *Ele de Libélula* tiene tiempo,

se sube a una cáscara de nuez tirada por diecisiete mariquitas.

Una vez en el cielo, *Ele* se entretiene

contando los lunares de sus diminutos corceles.

Pero, rápidamente, las cifras se mezclan en su cabeza

y *Ele* pierde la cuenta.

Entonces, para divertirse, *Ele* recita sus nombres,

mas se duerme. Cuando logra despertar,

Ele no los logra recordar. Se le ha olvidado todo.

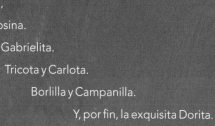

**Los nombres
de las diecisiete mariquitas:**

Para empezar
están Pétrula, Anestina,
Ermelinda y Adelina.
Después van Pomposina,
Pipicastrela y Cebulina.
Y están también Melusina,
Serafina y Eufrosina.
Jovita y Gabrielita.
Tricota y Carlota.
Borlilla y Campanilla.
Y, por fin, la exquisita Dorita.

Utilizar (*bien*) las piedras

Tan sólo un ignorante puede asegurar que una piedra no tiene utilidad.

La piedra es un objeto mágico

Para encontrar la piedra que posee un poder particular
hay que buscar:
por los caminos,
los senderos,
en las playas
o en los bosques.
A las hadas se las reconoce porque, durante sus paseos,
caminan despacio y con la cabeza inclinada,
mirando sus pies.

Cómo lanzar una piedra al agua

Conseguir una piedra plana,
lanzarla sobre la superficie lisa de un gran lago,
de un estanque o de un pantano.
Como si fuese un patinador sobre hielo.
Contar: uno, dos, tres, cuatro, cinco, seis...
Entre seis rebotes y diez, puede decirse que lo haces bien.

Díselo con piedras o el lenguaje de los cantos rodados

A la gente tímida o que le cuesta hablar,
aunque parezca raro, una piedra la puede ayudar.
Ovalada y plana: ¿quieres jugar conmigo a las chapas?
Redonda y gruesa: lánzala lejos, ¿qué te parece eso?
Pequeña y blanca: estoy perdido, ¿puede indicarme el camino?
Rojo, azul o verde higo: ¿te quieres casar conmigo?

Utilizar una piedra para alcanzar un deseo

Se piensa mucho en lo que se desea
(por eso se llama «deseo»,
y no de otra manera).
Se frota con cuidado.
Se espera.
A veces mucho rato.

Picpus y Malus

Picpus y **Malus** buscaron el secreto durante años.
Cruzaron océanos y mares,
treparon a montañas de todos los lugares,
bajaron a las profundidades, donde nadie ha estado antes.
Y un día, en medio del desierto, lo descubrieron.
Largo, flaco y descolorido, de un verde lavado, dijo:
—Yo lo sé, y, si os acercáis, os lo diré.
—Más cerca, más cerca, venid
—insistió sin sonreír.

Habían buscado el secreto con anhelo,
así que se acercaron sin recelo.
Murmuró unas palabras y, cuando los tuvo al lado,
los atrapó con las espinas que recubrían su cuerpo.
Se quedaron ahí plantados, petrificados;
él aprovechó para largarse, liberarse.

Desde entonces, largos, flacos
y descoloridos, de un verde lavado,
Picpus y **Malus** están solos en medio del desierto,
solitarios, con la arena y el viento
como únicos acompañantes.
¿Y el secreto? ¿Lo encontraron?
Puede ser... ¿Quién sabe?
Habría que preguntarles, acercarse a ellos:
—*Más cerca, eso, más cerca, venid...*

Inventar fórmulas mágicas originales

Las fórmulas mágicas no son indestructibles.

Cuanto más se utilizan, más poder pierden.

Por ejemplo, Abracadabra fue eficaz durante mucho tiempo, y podía traer

terribles consecuencias: rayos que caen del cielo,

centellas y truenos, transformación de un chico en caracol...

Pero hoy es poco usada.

Lo mismo sucede con Hocus Pocus; ya no sirve de nada.

Algunas recomendaciones:

Una fórmula mágica tiene que ser secreta, no se puede prestar

porque pierde su efectividad y deja de funcionar.

Para inventarla, en principio, la cosa es muy sencilla,

se mezclan las palabras como en una papilla.

¡Pero atención!

Hay que ser precavido y no usarlas con descuido.

Andreas Van Gumdum pronunció un conjuro de la risa,

y luego ya no pudo detenerse.

Al principio, le pareció gracioso no parar de reír,

pero ahora está agotado

¡y hasta sueña con un llanto prolongado!

La cosa no funciona si no estás concentrado,

si actúas sin pensar, atolondrado.

Tendrás que repetir la sucesión

miles de veces, sin equivocación.

Con palabras soeces,

la fórmula se vuelve pesada y complicada,

se enreda en los dientes, y hay que decirla varias veces.

Y, si tiene rimas,

será mejor cantarla.

Algunos ejemplos:

Tres tristes tigres comen trigo en un trigal.

(Va muy bien para curar el hipo, incluso hoy en día).

Por favor, gracias.

(Para que los padres crean que uno está bien educado).

¿Sabes que tienes unos ojos preciosos?

(Para sonrojar a las niñas).

La chica de los Nenúfares

Vive en las aguas, pero no esperes verla
en algún arroyuelo transparente o en los remolinos de un torrente,
pues prefiere los pantanos de aguas verdes.
¿Su morada? Una charca en la que con hojas de seda
hace papiroflexia, miles de figuras que en la superficie libera.
Como nadie sabe su nombre, le han dado el de ésas flores:
«la chica de los Nenúfares» la llaman en los alrededores.

A veces la llaman Ninfa,
pero a ella le da igual.
Odia el lío, las reuniones, las aglomeraciones.
Definitivamente, creo que no le gusta la gente,
sólo le agrada el silencio.

Se dice que posee gran belleza,
que sobre su piel blanca viste
ropas con escamas deslumbrantes
cosidas con algas y plantas
y adornadas con piedras elegantes.

Verla es privilegio raro.

Desgraciadamente, al menor chapoteo, al menor ruido,
se sumerge en lo más hondo,
arrastrada por las olas,
dejando tras de sí un rastro de burbujas
que ocultan a la vista su vestido.

Para leer las estrellas

Tumbarse en un prado una noche de verano y esperar a que pase una estrella fugaz.
Atención, que va deprisa,

corre,

¡vuela!

En un leve parpadeo, trazan palabras, oraciones
o el comienzo de un cuento, en ocasiones.

Y hay que tratar de descifrar lo que escriben.
No es magia, la desgracia es que no todas las estrellas
hablan la misma lengua. A veces es imposible entenderlas.
Nos puede resultar extraño, sobre todo cuando es una lengua rara.
Algunas no conocen muy bien la ortografía, la usan mal.
Otras tuercen los renglones.
O escriben en vertical.

O sinsentidos

o galimatías.

Leer las estrellas no es tan complicado; para seguir el hilo,
basta con un poco de práctica: de noche, el cielo es como un tablero negro.
Para ello, hay que pasar la noche al cielo raso en busca de mensajes.
Una vez logrado, se anota lo que se haya descifrado
en un trozo de papel doblado.

Hay que deslizarlo debajo de una piedra

para que no se lo lleven

y tampoco se vuele.

Y dejarlo allí hasta que el destinatario llegue

y de esa forma él o ella lo recupere.

67

CHOCOLATE

LLUVIA

NEGRO

extracto de pizar

2×2

Perfumes de hada

Agua de noche

Sábanas limpias, rocío de la noche y grandes esperanzas
mezclados con el halo de un beso
componen el perfume ideal
para quien quiera soñar.

Chocolate caliente

Para días de invierno.
Dejarlo refrescar antes de utilizarlo para evitar abrasarse.
Más refinada que otras fragancias,
como **Perro mojado** y **Botas embarradas.**
En otoño se recomienda usar
Agua de Charco, muy lograda.
Especialmente apreciada por sus aromas
de fuego de bosque y de castañas asadas.

Día de lluvia

Unas gotas son suficientes para convertir
una mañana soleada en una tarde mojada.
Se vende sin paraguas, pero con aburrimiento garantizado.

Domingo por la tarde

Deberes sin hacer, tristeza y gran pereza
componen esta fragancia un poco pesada y cabezona.

Huerta de la abuela

Aroma de buen guiso en la cazuela, tomates de la huerta,
agujas de calceta y palabras mimosas. Produce un bienestar
un poco anticuado que siempre gusta encontrar.

Extracto de pizarra

Recogido en los rincones de las aulas,
y con verdadero olor a tiza y borrador usado.
Tan conseguido que, al cerrar los ojos,
se puede oír gritar a la profesora.

Pesadilla

Escobero, cuarto oscuro y patas de araña componen
un aroma poderoso para ofrecerlo a quienes molestan.

Chispa

Un perfume vivo y brillante que une a la perfección
las esquirlas de cólera y las de carcajadas.

El señor y la señora Patasarriba y sus hijos

familia Patasarriba

Algunas puntualizaciones:

El señor Patasarriba se ocupa principalmente de lo que es muy pesado: los edificios, las casas... Y, desde luego, es él quien desplaza montañas y mares.
La señora prefiere la decoración y cuida los pequeños detalles.

En cuanto a los hijos, **Nano** se ocupa de las calles, de la circulación y de las señales.
Nina es jardinera, replanta los árboles y flores y desvía los ríos. También oculta, bajo mantos de hojas, los senderos del bosque.

¿Te has perdido en el bosque alguna vez?

¿Te ha ocurrido que no sabes volver?

Se camina, se pasea y, de repente, todo lo que nos es familiar desaparece.

Se rehace el camino, se estudia cada arbusto, cada pino,

se aguza bien la vista en busca de una pista

que nos guíe en nuestra ruta.

Nos da rabia, nos reñimos, nos prometemos no ser tan distraídos,

que nunca más pasearemos sin rumbo fijo.

Yo sé qué es lo que ha pasado:

simplemente te has cruzado

con el señor y la señora Patasarriba y sus hijos.

Ellos no son malos. Lo que pasa

es que están un poco locos, y quieren jugar contigo.

Tan pronto como te ven distraído y en dulces pensamientos embebido, aprovechan para cambiarlo todo.

Uno mueve los árboles, otro las casas y avenidas,

y mientras tú soñabas paseando, han transformado el paisaje.

Han dado la vuelta a los caminos y borrado las señales;

las rotondas son cuadradas y el sentido único ha cambiado.

Las calles son ahora avenidas, los grandes bulevares han dejado paso

a estrechas callejuelas, y han barrido las aceras sin dejar el menor rastro.

Cuando los Patasarriba ya han gozado de su fiesta

y tú andas dando vueltas como un loco,

en silencio y muy despacio, recomponen el espacio,

devuelven cada cosa a su lugar antes de marcharse.

Tú te quedas un poco trastornado,

sin saber qué te ha pasado,

cómo has encontrado tu camino.

Tratas de olvidar el miedo que has vivido.

¿Quién? ¿Yo? ¿Miedo yo?

Los Patasarriba se han largado, en busca

de otro chico distraído que vaya perdido en sus ensoñaciones.

Se han divertido

y quieren ver su juego repetido.

Pender de un hilo

Me llamo Marieta Castañeta

y es mi intención decirte
cric
que cada marioneta
crac
tiene un corazón tierno.
tic
Y que los que aseguran
tac
que su corazón es de madera
clic
te cuentan tonterías
clac
¡puras habladurías!
¡cric crac!

Pintar con los colores
del arco iris

Si un día de lluvia desbordante, aparece, de pronto, un sol radiante,

mete en tu mochila tu paleta, tus pinceles y tus tubos de colores

y camina hacia el lugar donde el arco iris se acaba de formar.

Una vez allí, pon en tu paleta los colores

que prefieras y mézclalos como quieras.

Después, como si el mundo fuera un gran cuaderno de dibujo,

píntalo y añade algunas flores;

y, luego, en un rincón, garabatea una palabra

que despierte buenos humores.

Si la hierba el verde pierde,

pinta, brizna a brizna, el césped del jardín.

Si te gustan las puestas de sol,

emborrona las nubes de luz resplandeciente

y el océano de naranja y amarillo.

¿Demasiado brillante?

Suaviza el suelo con pastel.

Diviértete, cámbialo todo, ¡lo puedes hacer!

Píntale al mundo manchas en los huecos

o dibújale un bigote a quien tú quieras;

lo que es blanco, negro; lo amarillo, rojo.

Y si aún no te convence,

mezcla y remueve sin complejos las aristas.

Ponle una sonrisa a un hombre triste.

Esboza un mundo mejor, sé un artista.

Y si todavía sigue sin convencerte,

¡ponlo todo diferente!

Piel de loba

Olvidada, perdida en el gran bosque, abandonada,
nadie sabe de ella casi nada.
Unos dicen que un oso y un gran ciervo son sus hermanos
y un lince y un lobo, sus amigos cercanos.

Se cuentan muchas cosas sobre ella.
Cosas que hacen temblar al más templado,
que le quitan el sueño a cualquiera.
Pero ella es más miedosa que peligrosa.
Huye al menor ruido
y sólo sale de su escondite
cuando todo el mundo está dormido.

También cuentan que lanza gritos a troche y moche,
que ve en la oscuridad y tiene la capacidad
de escuchar los sueños de los niños por la noche.

A veces merodea por las urbanizaciones,
entra en las habitaciones.
Algunos niños dicen que en su espalda sintieron
el soplido caliente de su aliento.
Y que, en un momento, se quedaron sin sueños,
como si se los hubiese robado el viento.

Apenas transcurrido un instante, ya se había ido

dejando tras de sí
el aroma del rocío.

Transformarse
de la cabeza a los pies

¿Quién no ha soñado un día con transformarse?
¿Metamorfosearse de la cabeza a los pies?

Receta para hacerse animal:

1· **Recoger** plumas (o pelos de animal, es igual).

2· **Ponerse** unas garras (o pezuñas).

3· **Añadir** un pico (un hocico o un morro, según el tipo).

4· **Pronunciar** un conjuro.

5· **Hacer gestos extraños con los brazos,**
   como rompiendo el mundo en mil pedazos.

6· **Saltar.**

7· **Trepar.**

8· **Arañar.**

9· **Aullar.**

10· **Hacer la prueba** con un hermano
   o hermana pequeña o, en su defecto,
   un chaval que viva en el mismo portal.
   Abrir el pico, hacer el mono,
   guiñar los ojos de bicho,
   conseguir que se lleve un susto atroz.
   Si grita hasta quedarse sin aliento,
   ¡ha triunfado el experimento!

Miss Mosca

Miss Mosca
espera hasta que sale del colegio
para transformarse.
Primero hace sus deberes,
toma una buena cena
y bebe un café negro.
Luego va a prepararse.
Una vez que ha terminado
y ha dejado todo ordenado,
se viste de manera extraña,
con mallas oscuras: negras o moradas,
y alas brillantes y transparentes.
Pronuncia un conjuro entre dientes
con palabras complicadas:
Bzzz
        Bzzz
                Bzzz
                        Bzzz (bis).

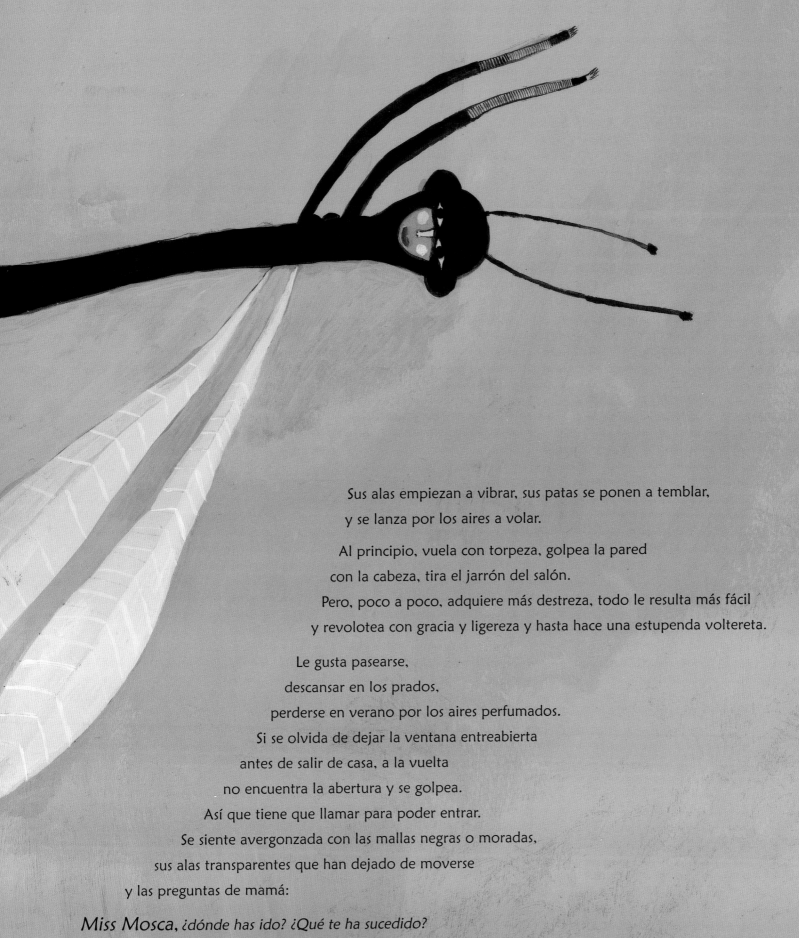

Sus alas empiezan a vibrar, sus patas se ponen a temblar,

y se lanza por los aires a volar.

Al principio, vuela con torpeza, golpea la pared

con la cabeza, tira el jarrón del salón.

Pero, poco a poco, adquiere más destreza, todo le resulta más fácil

y revolotea con gracia y ligereza y hasta hace una estupenda voltereta.

Le gusta pasearse,

descansar en los prados,

perderse en verano por los aires perfumados.

Si se olvida de dejar la ventana entreabierta

antes de salir de casa, a la vuelta

no encuentra la abertura y se golpea.

Así que tiene que llamar para poder entrar.

Se siente avergonzada con las mallas negras o moradas,

sus alas transparentes que han dejado de moverse

y las preguntas de mamá:

Miss Mosca, ¿dónde has ido? ¿Qué te ha sucedido?

¿Y qué es ese chichón que te ha salido?

Los Cric y los Crac, los Buus y los Uus

Los Cric y los Crac, los Buus y los Uus
se mueven por la noche cuando todo está negro.
Forman una banda cuyo pasatiempo preferido
es aterrorizar a los niños que están solos y hacer ruido.
¡Jo!,
        ¡jo!,
              ¡jo!

Tienen debilidad por las casas de las abuelas,
sobre todo si están en las afueras,
en la linde de un bosque, en el fondo de un valle.
A la hora de dormir, vigilados por búhos y mochuelos,
llegan en un viejo carretón con gran revuelo.
Cuando la luz se apaga en una habitación,
entran en acción, hacen crujir cada escalón,
saltar los pomos de las puertas y, del tejado, caer las tejas.
¡Ja!,
        ¡ja!,
              ¡ja!

Luego, hacen chirriar la madera,
proyectan siluetas horrorosas
en las paredes de las casas
y soplan por las chimeneas.
¡Uu!,
        ¡uu!,
              ¡uu!

Cuando ya te has refugiado
bajo las sábanas,
a hurtadillas, en la planta del pie
te hacen cosquillas;
se meten bajo la cama
y se transforman
en fieras monstruosas,
en criaturas horrorosas.
El chasquido de tus dientes
los llenan de emoción,
tus escalofríos son su deleite;
tus llantos, ¡el colofón!

Pluma de luna

Más ligera que el aire,
si te cruzas con ella, ni la ves.
Ella nunca conoce su camino,
no sabe adónde va, de dónde vino.
Siempre lleva su tutú blanco, en cualquier clima,
incluso cuando el viento se transforma en huracán.
—Es tan elegante... —suspira extravagante.

A veces, se la ve flotar ligera
en un soplo de brisa pasajera.
Corres y saltas, la intentas atrapar,
pero desaparece, como si se hubiera evaporado.
También se la ve en el bosque, por la noche, en la maleza,
pero si te acercas desaparece con gran destreza.

Una tarde, por casualidad,
cayó en la palma de mi mano.
Con gran celeridad cerré mi puño,
yo sabía que era suficiente
una **pluma de luna** para saber volar.
En mi palma la sentía palpitar,
como si su vida viese amenazada,
y se me encogió el corazón.

Abrí la mano y la vi despeinada:
soplé y se fue lejos, muy lejos, muy muy lejos.
Créelo si quieres, pero fue como si yo mismo volara.

Escuchar a los árboles hablar

Para escuchar a los árboles hablar,
hay que **tumbarse** en un altozano
o en un claro de bosque soleado.

Dejar que los rayos de sol que se cuelan
entre las hojas acaricien la cara,
cerrar los ojos y respirar despacio, en duermevela.

Al principio no se oyen más que murmullos,
ruidos pequeños y menudos,
pero luego, poco a poco, como un arrullo,
se oyen historias, cotilleos,
incluso habladurías, chismorreos.

Sobre todo no hay que moverse,
porque si se produce el menor ruido,
basta el más leve sonido
o un golpe de aire,
los árboles se callan y, si creen que se les espía,
no dirán nada más
durante muchos días.

Sibila Esbella

ha escuchado a los árboles hablar una vez tras otra.
He aquí algunas historias que apuntó en su cuaderno de notas:
La historia del árbol que perdió sus hojas.
La historia del árbol que se enamoró de un pájaro.
La terrible historia del hacha del leñador.
(No recomendada a quienes les cueste dormir).
La historia del árbol que llegó hasta el cielo.

Últimos secretos antes de despedirnos

Los mosquitos son primos de la ortiga,
quien, a su vez, de la aguja es muy amiga.

La música no es otra cosa que la risa de los instrumentos,
a los que los músicos hacen cosquillas cuando tocan.
La risa del contrabajo es grave,
la de la flauta, juguetona y ligera,
y la del violín se confunde con el sollozo de una niña sincera.

Las bailarinas son jóvenes bellas
que han olvidado que fueron estrellas.

Los charcos son los espejos de las aves;
(ellas se miran y remiran para ver lo bonitas que son).

Los ríos son las lágrimas de los sauces llorones.

Es en las cavernas y en los viejos graneros
donde se guarda **la noche** cuando nace el día.

Muchas de las estatuas son gente castigada
porque no se estaba quieta
(o por desobedientes, no lavarse los dientes y ser impertinentes).

Las mariquitas son los botones de los trajes de las hadas.
Se echan a volar cuando la fiesta se acaba.

Índice de personajes

Índice de materias

Traducción: P. Rozarena
Edición: Celia Turrión
Título original: *Fil de fée*
© Hachette-Livre, 2008
© De esta edición: Editorial Luis Vives, 2009
Carretera de Madrid, km 315,700
50012 Zaragoza
Teléfono: 913 344 883
www.edelvives.es

ISBN: 978-84-263-7257-4